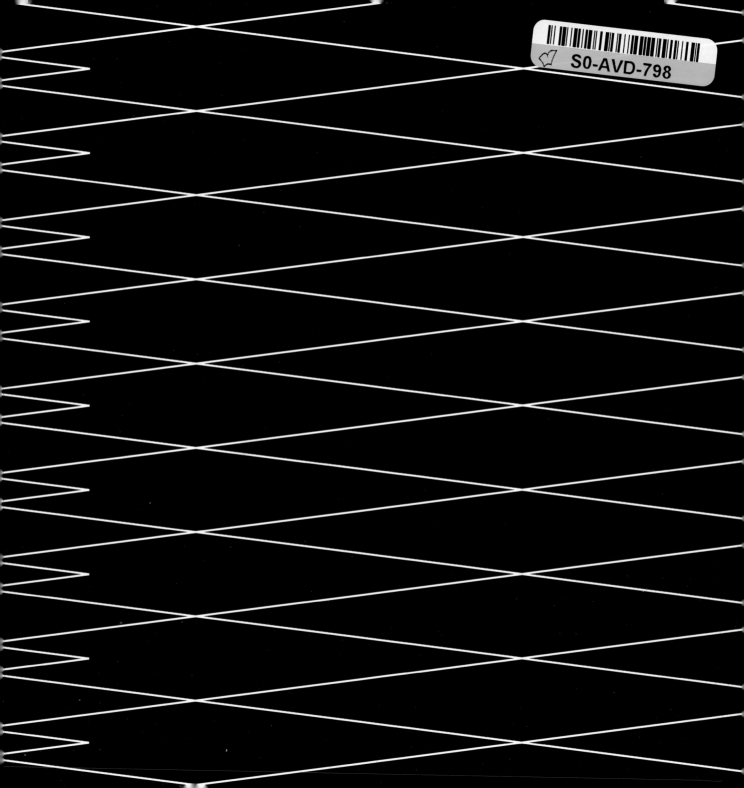

OPERAEN

THE OPERA HOUSE

OPERAEN I OSLO

▷ Tegnet av Snøhetta

▷ Kostet 4,3 milliarder norske kroner og tok fem år å bygge

▷ Første spadetak 17. februar 2003

▷ Åpnet med en gallaforestilling 12. april 2008

▷ Bruttoareal: 49 000 m2 fordelt på cirka 1100 rom

▷ Har tre saler for opera, ballett og konserter

▷ Huser Den Norske Opera & Ballett som ble stiftet i 1957

▷ Den Norske Opera & Ballett er Norges største musikk- og scenekunstinstitusjon

▷ Organisasjonen har over 600 ansatte fordelt på omtrent 50 yrkesgrupper

OSLO OPERA HOUSE

▷ *Designed by Norwegian architectural firm Snøhetta*

▷ *Cost € 500 mill. and took five years to build*

▷ *Ground first broken on 17 February 2003*

▷ *Opened with a gala performance on 12 April 2008*

▷ *Gross area: 49,000 m2 in about 1,100 rooms*

▷ *Has three performance spaces for opera, ballet and concerts*

▷ *Houses The Norwegian National Opera & Ballet, which was founded in 1957*

▷ *The Norwegian National Opera & Ballet is Norway's largest performing arts institution*

▷ *The organisation has over 600 employees working in about 50 professions and trades*

ET OPERAHUS FOR ALLE
AN OPERA HOUSE FOR ALL

Norges første operahus har blitt folkeeie. Operaen i Oslo har befestet seg som en arkitektonisk og kunstnerisk suksess som overstrømmes av besøkende både på innsiden og utsiden. Det er det første operahuset i verden der man kan gå på taket, og har blitt en av Norges store turistattraksjoner. Bygget er belønnet med en lang rekke priser og stor internasjonal oppmerksomhet. Norsk og internasjonal presse har dokumentert Operaen i et mangfold av medier, og organisasjoner, næringsliv og samfunnet for øvrig viser stor interesse. Her tilbys forestillinger og konserter fra det klassiske til det moderne, og tilstrømmingen av publikum viser at opera og ballett aldri har vært mer populært i Norge enn nå.

Norway's first opera house has become public property. The Oslo Opera House has established itself as an architectural and artistic success that teems with visitors, both inside and outside. As the first opera house in the world to let visitors walk on the roof, it has become one of Norway's foremost tourist attractions. The building has received many awards and has aroused enormous international attention. The press in Norway and abroad has documented the Opera House in a wide diversity of media, and great interest has been shown by organisations, business and the public at large. Here you can enjoy performances and concerts from the classical to the modern, and the size of the audiences shows that opera and ballet have never been more popular in Norway.

Et hus for musikk og magi

Ønsket om et eget hus for opera og ballett i Norge er mer enn hundre år gammelt. Et skritt på veien ble tatt i 1957 da Norges største operasanger Kirsten Flagstad ble Norges første operasjef. At verdensstjernen i sin rolle som operasjef tok av sine egne penger for å betale orkestret, vitner om viljen til å dyrke fram opera- og ballettkultur i et land uten lange tradisjoner for kunstartene. Ikke minst sier det mye om lidenskapen for musikken og scenekunsten.

Denne lidenskapen, kombinert med et møysommelig politisk arbeid utført av mange aktører, førte endelig fram til byggingen av Operaen slik den framstår i dag. Den er blitt en spydspiss for kulturnasjonen Norge, og bidrar til å løfte musikk og dans i hele landet. Den er også blitt et symbol for hva det moderne Norge representerer, og den vekt kulturen bør ha i samfunnet. Operaen er en realitet – bygget for å skape magi.

A house for music and magic

The dream of an independent house for opera and ballet in Norway took more than a hundred years to realise. The first really significant step was taken in 1957 when Norway greatest opera singer Kirsten Flagstad became the country's first Opera Director. Ms Flagstad paid for the orchestra out of her own private funds – a clear indication of the strength behind the desire to provide for opera and ballet in a country without a long tradition for these noble arts. Such was the passion for the music and the magic of the stage.

This passion, combined with tireless political championing from many quarters, finally led to the decision just before the turn of the millenium to build the Oslo Opera House. And here it is – a trail blaser for Norwegian arts and artists, raising the position of music and dance in the country. It has also become a monument to contemporary Norway, and to the status now afforded cultural life in our society. This is what we got – a house for music and magic.

LANDSKAPET
THE LANDSCAPE

ET LANDEMERKE
A LANDMARK

Etter åpningen 12. april 2008 ble Operaen raskt et lande-
merke. Det skyldes i stor grad operahusets unike arkitektur
tegnet av det norske arkitektfirmaet Snøhetta. De hadde en
visjon om operahuset som en allmenning, hvit plattform som
stiger opp av sjøen og knytter fjorden til byen, land til vann.
Et av Operaens mest særegne trekk er åpenheten: Besøkende
inviteres til å spasere på taket, og videre inn i den åpne
foajeen der de kan ta innover seg atmosfæren, arkitekturen
og kunsten.

Visjon
Aldri hadde det i norsk historie vært større oppslutning om
en arkitektkonkurranse enn i 2000 da arkitektene bak 240
bidrag kjempet om å få tegne Norges nye operahus. Det
skulle ligge i det gamle havneområdet Bjørvika, som første
bygg i et omfattende byutviklingsprosjekt. En internasjonal jury
kåret Snøhetta til vinner. Arkitektfirmaet hadde tidligere gjort
seg bemerket med det særpregede biblioteket i Alexandria i
Egypt, og baserte sitt forslag til operahus i Oslo på noen få
hovedelementer. Det var Teppet, det hvite taklandskapet som
dekker operahuset, Bølgeveggen av tre i foajeen, og Fabrik-
ken, produksjonsdelen der scenekunsten skapes. Snøhetta
ønsket å bruke få materialer, og har gjennomgående benyttet
marmor, eik, aluminium og glass.

*After the opening on 12 April 2008, the Oslo Opera House soon
became a landmark. This was largely due to the building's unique
architecture, designed by the Norwegian architects Snøhetta.
They had a vision of a white platform, open to all, rising from the
sea and linking the fjord to the city, the land to the water. One of
the most evident characteristics of the Opera House is its openness:
visitors are invited to stroll on the roof, then further into the open
foyer, to become immersed in the atmosphere, the architecture
and the art.*

Vision
*Never had an architectural competition in Norway attracted so
much interest as in 2000, when the architects behind 240 entries
fought for the honour of designing Norway's new opera house.
It was to be situated in the old harbour area of Bjørvika, the first
building of a major new urban development project. An interna-
tional jury declared Snøhetta the winner. Snøhetta had already
received acclaim for their design for the library at Alexandria
in Egypt. Their architectural proposal was based on three main
elements. These were The Carpet, the white roof landscape that
covers it, The Wave Wall of wood in the foyer and The Factory, the
production area where stage magic is created. Snøhetta usually
work with a limited number of materials, and the design through-
out the Opera House uses marble, aluminium, oak and glass.*

OPERAEN ER DEKKET AV OM LAG 36 000 MARMORSTEINER. DE INDIVIDUELT UTFORMEDE STEINENE PÅ TAKET ER SATT SAMMEN SOM I ET GIGANTISK PUSLESPILL

AROUND 36,000 PIECES OF MARBLE COVER THE OPERA HOUSE. THE INDIVIDUALLY CRAFTED STONES ON THE ROOF, ARE PLACED TOGETHER LIKE A GIGANTIC JIGSAW PUZZLE

Monumentalt

Det hvite skråtaket som stiger opp fra fjorden i vest er opera-
husets fremste arkitektoniske kjennetegn. Taklandskapet er skapt
av horisontale og skrånende flater, og representerer ideer som
fellesskap, felles eiendom og fri adkomst for alle. Landskapet
inviterer besøkende til å vandre rundt, nyte utsikten fra toppen,
eller sette seg ned og spise lunsj. Taket gjør Operaen til et
monumentalt bygg – ikke i form av stor høyde, men i utstre-
kning: Teppet brer seg utover cirka 18 000 kvadratmeter, noe
som tilsvarer tre fotballbaner.

Stein med tradisjoner

Operaens taklandskap er kledd i det steinmaterialet som
tradisjonelt er blitt brukt på offentlige plasser og torg, nemlig
marmor. Den er hentet fra de berømte steinbruddene i Carrara
i Italia, hvor det er tatt ut marmor til bygninger og skulpturer i
flere hundre år. Marmoren utgjør mer enn 90 prosent av Opera-
ens steinkledning, mens fasaden mot nord og all stein som er i
kontakt med sjøen, er utført i norsk granitt. Begge steinsortene
er behørig testet med tanke på både klima og varighet.

Varierte flater

De om lag 36 000 steinene som dekker Operaen er indivi-
duelt utformet og satt sammen som i et gigantisk puslespill.
Takmønsteret, som også anses som et kunstverk, er utarbeidet
av arkitektene sammen med kunstnerne Kristian Blystad, Jorunn
Sannes og Kalle Grude. Ulike nivåer, vannrenner, lyslinjer,
overflater og sittekanter er deler av en komposisjon som
understreker Operaens kvalitet både som et monument og et
landskap.

Monumental

*The white, sloping roof that rises out of the fjord in the west is the
most obvious architectural characteristic. The roof landscape has
been created from horizontal and sloping levels and represents
ideas such as fellowship, common property and free access for all.
The landscape invites visitors to wander around, enjoy the view
from the top or sit and enjoy their lunch. The roof landscape makes
the Opera House a monumental building - not in the form of tower-
ing height but in extent: The Carpet stretches across 18,000 square
metres, the size of three football pitches.*

Stone with tradition

*The roof landscape of the Opera House is clad in a stone that has
traditionally been used for public places and squares - marble.
It has been brought from the famed quarries at Carrara in Italy,
whose marble has been used for buildings and sculptures for cen-
turies. More than 90 per cent of the stone cladding is marble, but
the north facade and all stone in contact with the sea is of Norwe-
gian granite. Both types of stone were duly tested for durability in
the climate.*

Varied surfaces

*There are around 36,000 pieces of stone covering the Opera
House, all of them individually crafted and placed together like a
gigantic jigsaw puzzle. The pattern on the roof, designated as an
artwork, was designed by the architects together with the Nor-
wegian artists Kristian Blystad, Jorunn Sannes and Kalle Grude.
All the levels, gutters, light lines, surfaces and seating edges form
part of a composition that underlines the building's quality as both
monument and landscape.*

Metalliske mønstre

Scenetårnet er, som produksjonsdelen av huset, kledd med aluminium. Det gir et moderne, teknologisk preg. Aluminiums-platene er bearbeidet av kunstnerduoen Løvaas & Wagle, og utgjør et av kunstverkene i Operaen. Platene er preget med et mønster utviklet ut fra et eldre norsk vevmønster. Åtte forskjellige platetyper satt sammen på ulike måter gir stor variasjon i uttrykket. Med lysets endringer gjennom dagen og året er gråtonene og mønstrene i stadig forandring.

Metallic patterns

The fly tower is clad in aluminium, as is also the production blocs of the house. This gives a modern, high-tech feel. The aluminium sheets have been crafted by the Norwegian textile artists Løvaas & Wagle, and represent one of the art projects in the Opera House. The sheets bear a design derived from an old Norwegian weaving pattern. Eight different types of sheeting are put together in different ways to provide great variety of expression. As the light changes during the day and during the year, the grey tone and patterns are constantly changing.

MED LYSETS FORANDRINGER GJENNOM DØGNET OG ÅRET ER DE METALLISKE MØNSTRENE PÅ TAKET I STADIG ENDRING

AS THE LIGHT CHANGES THROUGH THE DAY AND DURING THE YEAR, THE METALLIC PATTERNS ON THE ROOF ARE CONSTANTLY CHANGING

Glass

Den høye glassfasaden over foajeen har en framtredende rolle i bygningens fasade mot sør, vest og nord. På det høyeste er den 15 meter, og de enorme glassflatene fungerer som et vindu i marmorbekledningen. Her er det hvite teppet dratt til siden slik at publikum kan se inn på bølgeveggen – og de som er inne kan se ut. Glassfasaden er ikke minst viktig om kvelden og natten, når glasspartiet fungerer som en lampe som lyser opp skråplanet utenfor.

Glass

The tall glass facade over the foyer plays a prominent role in the building's south, west and north elevations. 15 metres at its highest, the enormous glass surface acts as a window in the marble cladding. Here the white carpet is drawn aside, so that people can see in to the Wave Wall – and those inside can see out. The glass facade comes into its own in the evening and at night, when the glass acts as a lamp, illuminating the sloping plane outside.

Kunstprosjektene i operahuset

Et eget utsmykkningsutvalg har vært ansvarlige for kunstprogrammet i Operaen. Det består av åtte prosjekter, utført av til sammen 17 kunstnere. De fleste kunstverkene er mer eller mindre integrert i operahuset, andre er såkalt autonome, fristilt fra arkitekturen. Det tydeligste eksempelet på sistnevnte er skulpturen *She Lies* av Monica Bonvicini som ligger forankret i havnebassenget utenfor Operaen. Skulpturen er en tredimensjonal, halvtransparent tolkning av Caspar David Friedrichs maleri Das Eismeer fra 1823–24.

Art projects in the Opera House

A specially appointed committee has been responsible for the public art programme of the Opera House. This consists of eight projects, carried out by a total of 17 artists. Most of the projects are more or less integrated into the fabric of the building, while other, autonomous works are liberated from the architecture. The clearest example of the latter is the sculpture She Lies *by Monica Bonvicini, which is moored in the harbour outside the Opera House. The sculpture is a three-dimensional, semi-transparent interpretation of Caspar David Friedrich's painting* Das Eismeer *from 1823-24.*

FOAJEEN
THE FOYER

Den marmordekkede forplassen, oppkalt etter operasangeren Kirsten Flagstad, leder inn til hovedinngangen og foajeens store rom. I likhet med operataket er foajeen åpen hele dagen. Her kan man ta en kaffe, kjøpe billetter til en forestilling, spise i en av restaurantene, besøke Operabutikken eller bare gå rundt og kikke. I foajeen er det materialene marmor, glass og eik som dominerer. Taket støttes av en rekke søyler som alle er skråstilte i varierende vinkler. Mot sør åpnes foajeen mot fjorden, mot vest og nord vender den mot byen.

Grunnstein
3. september 2004 la H.M. Kong Harald V ned grunnsteinen. Den besto av et metallskrin med dagens aviser, samtidens mynter og opplysninger om bygget, og ble støpt inn i operahusets fundament. Under samme seremoni utformet de svenske kunstnerne Ludvig Löfgren og Linus Elmes i tillegg et annet grunnsteinsobjekt, ut fra en idé om å overføre musikk til et fysisk objekt. 13 operaouverturer ble lagt oppå hverandre og komprimert ned til ett minutt og 42 sekunder – til en *Hyperouvertur*, som også er navnet på kunstverket. Under seremonien ble hyperouverturen ført gjennom en lydkanon og skutt ned i våt betongmasse. Avtrykket lyden dannet befinner seg i gulvet i nordøstenden av foajeen.

Bølgeveggen
Gjennom foajeen bølger det seg en cirka 2000 kvadratmeter stor eikevegg. De myke, organiske linjene står i kontrast til vinklene og materialene på marmortaket og i inngangspartiet. Denne veggen er terskelen mellom hverdagen og kunsten: Innenfor bølgeveggen ligger scenene der kunstopplevelsene venter. Veggen følger den gamle strandlinjen i Bjørvika, og er således også en terskel mellom land og vann.

The marble-clad plaza, named after the legendary Norwegian opera singer Kirsten Flagstad, leads into the main entrance and the wide open space of the foyer. Like the roof, the foyer is open all day. You can have a coffee, buy tickets for a performance, eat in one of the restaurants, visit the Opera Shop or just look and wander around. In the foyer, marble, glass and oak are the predominant materials. The roof is supported by a row of columns all set at different angles. To the south, the foyer opens towards the fjord; to the west and north, it faces the city.

The foundation stone
H.M. King Harald V laid the foundation stone on 3 September 2004. It consisted of a metal box containing that day's newspapers, contemporary coins and information about the building, and was cast into the building's foundations. During the same ceremony, the Swedish artists Ludvig Löfgren and Linus Elmes shaped a different kind of foundation stone, based on the idea of transmuting music into a physical object. 13 opera overtures were superimposed upon each other and compressed down to 1 minute and 42 seconds - into a Hyperoverture, *which was also the name of the artwork. During the ceremony, this overture was fired from a sound canon into wet concrete. The imprint created by the sound can be found in the floor in the foyer.*

The Wave Wall
Through the foyer, 2,000 square metres of oak become a living wave. Its soft, organic lines are in contrast to the angles and materials of the marble roof and the entrance. This wall is the threshold between the everyday life and the world of the arts: beyond the Wave Wall lie the auditoria where artistic experiences await. The wall follows the old Bjørvika shoreline, so it is also a threshold between land and water.

Galleriene

Den store trappen i foajeen fører inn til galleriene rundt Hovedscenen. Her vandrer man inn i en gyllen, trekledd verden som gjennom vertikale åpninger gir utsyn til foajeen, fjorden og byen. Mens utsiden av bølgeveggen kan minne om barken på et tre med mye struktur i treverket, har eiken i galleriene en glattere karakter. Som en bro mellom det ytre og indre leder galleriene inn til Hovedscenen og kjernen av trestammen. Der inne skifter også eiken karakter – den er mørkere, glattere og mykere.

The galleries

The great staircase in the foyer leads to the galleries around the Main House. Here you wander into a golden, timber-clad world, with vertical openings providing a view of the foyer, the fjord and the city. While the structured timber of the outside of the Wave Wall might remind you of the bark of a tree, the oak of the galleries has a smoother character. Like a bridge between outside and in, the galleries lead you into the heart of the tree trunk. Once inside the Main House, the oak changes character again, becoming darker, softer and wonderfully polished.

Lysende kunst

De fire frittstående garderobevolumene i foajeen heter *The Other Wall* og er laget av den dansk-islandske kunstneren Olafur Eliasson. De er inspirert av rommet under isbreer, der vannet under tyngden av isdekket langsomt beveger seg og fryser i ulike formasjoner. Dette gjenspeiles i iskrystallstrukturen i tre av volumene, opplyst av et pulserende lys, fra hvitt til grønt. Det fjerde volumet ligger ut mot havet. Det er kledd med speil og danner slik en forbindelse mellom inne og ute, land og vann. I tillegg til å skille foajeen fra garderoben, "skjuler" de fire garderobevolumene også toalettene. Disse har et særpreget, mørkt interiør som står i kontrast til den lyse foajeen.

Light as art

The four free-standing box volumes in the foyer are called The Other Wall *and have been created by the Danish-Icelandic artist Olafur Eliasson. They are inspired by the space beneath glaciers, where, under the pressure of the ice, water slowly moves and freezes into unique formations. This is reflected in the ice crystal structure in three of the volumes, illuminated by pulsating white and green lights. The fourth volume faces the sea. It is clad with mirrors, creating connections between inside and out, land and water. As well as dividing the foyer from the cloak room area, the lighted volumes also conceal the toilets. These have a dark interior, contrasting with the light and airy feeling of the foyer.*

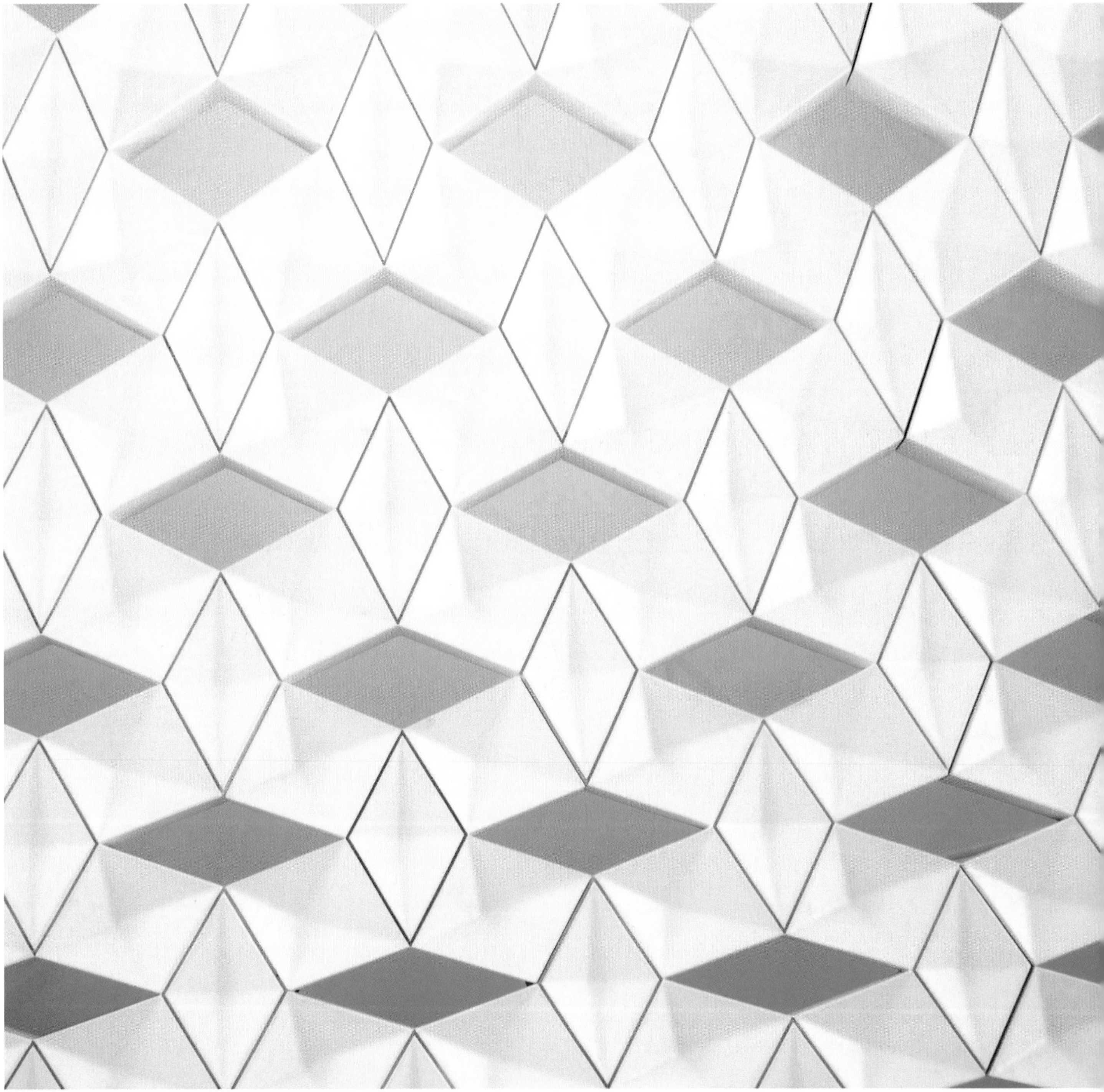

ISKRYSTALLSTRUKTUREN I KUNSTVERKET
THE OTHER WALL ER INSPIRERT AV DE
LANGSOMME BEVEGELSENE I ISBREER

THE ICE CRYSTAL STRUCTURE IN THE ART
PROJECT *THE OTHER WALL* IS INSPIRED BY
THE SLOW MOVEMENT OF GLACIERS

HJERTET
THE HEART

HOVEDSCENEN
THE MAIN HOUSE

Fra foajeen og via galleriene ledes man inn til operahusets hjerte: Hovedscenen. I kontrast til den hvite marmoren på utsiden, er fargene her varme og mørke. Både gulv, vegger og balkonger er utført i ammoniakkbehandlet eik. Det mørke treverket kan henlede tankene til treverket i strykeinstrumenter, slik også hele salen kan sies å være et stort treinstrument. Fargene er dessuten gunstige for teaterteknisk belysning og scenografi. Noe av trearbeidet er utført av et norsk båt-byggeri, med teknikker brukt i tradisjonell båtbygging.

Hovedscenen er gitt en klassisk hesteskoform, men med et moderne uttrykk. De 1364 setene er kledd med et spesial-designet rødoransje stoff, lysekronen er svakt konveks, og veggene er frie for pynt og ornamenter. Selv om publikum deler forestillingen med over tusen andre mennesker, opplever mange Hovedscenen som forbausende intim, mye takket være det mørke treverket og salens form.

Akustikk

For et operahus, der musikken må kunne bære uten forster-kning, er akustikken suksessfaktor nummer én. På Hovedscenen er det tatt en rekke grep for å optimalisere akustikken. Blant annet er balkongfrontene formet for en optimal brytning og spredning av lyden, noe som kan ses i linjene i treverket. Selv i valg av seter er det tatt hensyn til akustikken. Setene absorberer like mye lyd om det sitter noen i dem eller ikke, slik at akustik-ken er den samme under en prøve uten publikum som under forestilling med fullsatt sal. Det var et uttalt mål å få en lang etterklangstid. Det krever et stort volum, og på Hovedscenen er dette blant annet løst ved hjelp av stor takhøyde. Når det spilles forsterket musikk, som under en rock- eller popkonsert, tilpasses akustikken blant annet ved bruk av tunge, doble gardiner som dekker veggene bak i salen.

From the foyer, via the galleries, you are led into the heart of the Opera House: the Main House. In contrast to the white marble on the outside, the colours here are warm and dark. Floor, walls and balconies are of an ammonia-treated oak. The dark wood may lead our thoughts towards the wood of the stringed instruments – and indeed the whole auditorium can be seen as a huge wooden instrument. The dark colours are also well chosen for theatre light-ing and sets. The shaping of some of the woodwork is by a Norwegian boatyard, using techniques from traditional boat building.

The Main House has a classic horseshoe shape, but with a modern finish. The 1,364 seats are covered with a specially designed, red-dish orange fabric, the chandelier is gently convex and the walls are free of ornamentation. Even though they may be sharing the experience with more than a thousand other people, many find the auditorium to be surprisingly intimate, thanks mainly to the dark wood and the shape of the auditorium.

Acoustics

For an opera house, where music without amplification is the norm, the acoustics are the make or break factor. In the Main House, a number of measures have been taken to optimise the acoustics. The balcony fronts, for example, are designed to break and disperse the sound, as can be seen in the lines of the woodwork. Even the choice of seating has taken the acoustics into account. The seats absorb the same amount of sound whether someone is sitting in them or not, so that in a rehearsal with no audience the acoustics are the same as in a packed house. It was an express goal to achieve a long reverberation time. This requires a large volume, and in the Main House this has been achieved with the aid of high ceilings. When amplified music is played, for instance at a rock or pop concert, the acoustics are modified with the aid of heavy double curtains covering the walls at the back of the auditorium.

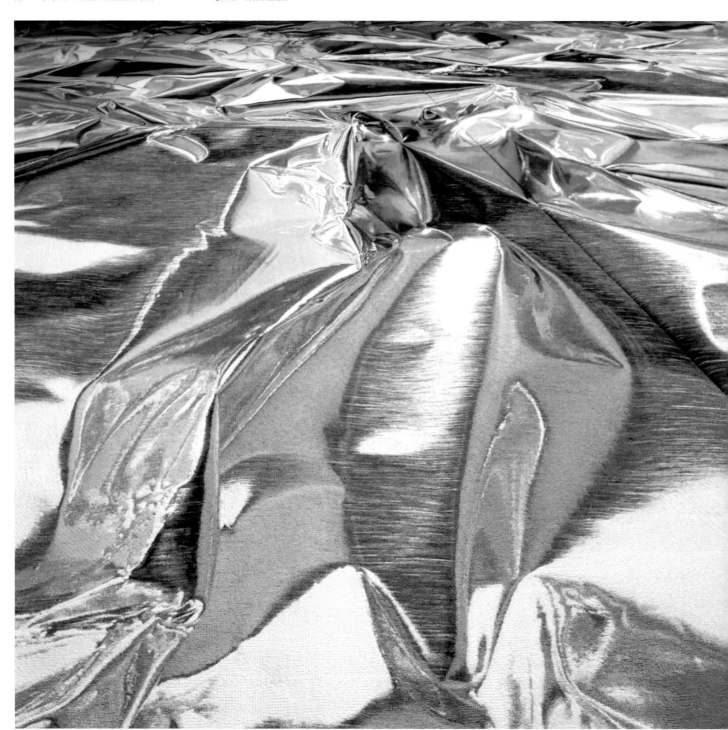

SCENETEPPET METAFOIL SER UT SOM
EN TREDIMENSJONAL METALLFLATE;
KUN PÅ NÆRT HOLD TRER DEN VEVDE
TEKSTILEN FRAM

THE FRONT CURTAIN METAFOIL
LOOKS LIKE A THREE-DIMENSIONAL
METAL SURFACE; ONLY UP CLOSE
DOES THE WOVEN FABRIC APPEAR

Lysekronen

Lysekronen i salen er Norges største, tegnet av Snøhetta og produsert av Hadeland Glassverk. Den har en diameter på sju meter, veier åtte tonn og er forsynt med mer enn 8000 lysdioder og 5800 håndstøpte krystaller. Dette gir salen et slående lys, som en siste påminnelse om dagslyset publikum forlater når de trer inn i kunstens verden. Lysekronen er også en viktig akustisk reflektor. Sammen med andre flater i salen, bidrar den til at lyden fra scenen og orkestergraven både reflekteres ned mot publikum og spres bakover i salen.

Sceneteppet

Den amerikanske kunstneren Pae White har laget sceneteppet *Metafoil*, som er et av kunstverkene i Operaen. Teppet er 23 meter bredt og 11 meter høyt. Et fotografi av en sammenkrøllet og lysømfintlig folie er gjennom digital teknologi "oversatt" til tråder og vevet i matt bomull i ulike farger. På avstand har teppet preg av å være en tredimensjonal metallflate; kun på nært hold trer den vevde tekstilen fram. *Metafoil* spiller slik på forholdet mellom illusjon og virkelighet, slik et sceneteppe også er inngangsporten til illusjonens verden.

Teaterteknikk

Hovedscenen er en av verdens mest moderne scener, og den avanserte sceneteknikken gir fleksible løsninger og mange kunstneriske muligheter. Blant annet kan bredden og høyden på sceneåpningen varieres og slik tilpasses ulike forestillinger. Orkestergraven kan ha tre ulike størrelser, og slik romme et lite kammerorkester så vel som fullt symfoniorkester med over 100 musikere. I tillegg kan den heves opp til scenenivå for forestillinger som krever større scene. Spilleflaten på Hovedscenen er 16 x 16 meter, og selve scenegulvet består av 16 podieheiser som kan heves, senkes og skråstilles. Det muliggjør spennende sceniske forandringer og bevegelser i sceneområdet. Et annet viktig element er den bevegelige dreiescenen.

The chandelier

The chandelier in the Main House is Norway's largest, designed by Snøhetta and made by the Norwegian company Hadeland Glassverk. It has a diameter of seven metres, weighs eight tonnes and contains more than 8,000 light diodes and 5,800 hand cast crystals. This gives off a scintillating light, as a final reminder of the daylight the audience will leave behind when they enter the world of artistic magic. The chandelier is also an important acoustic reflector. Together with other surfaces, it helps ensure that the sound from the stage and orchestra pit is both reflected down to the audience and distributed to the back through the chamber.

The front curtain

The American artist Pae White has created the front curtain Metafoil, *which is one of the Opera House's art projects. The curtain is 23 metres wide and 11 metres high. Through the application of digital technology, a photograph of a crumpled light-sensitive foil has been translated into threads and woven into different colours of matted cotton. From a distance the curtain appears to be a three-dimensional metal surface; only close up does the woven fabric become evident.* Metafoil *plays on the relationship between illusion and reality, just as a front curtain marks the gateway into the world of illusion.*

Theatre technology

The Main House is a state-of-the-art performance space. The sophisticated stage technology provides flexible solutions and many artistic opportunities. The size of the proscenium may for example be varied to suit the performance taking place. The orchestra pit can have three different sizes, so as to suit a small chamber orchestra as well as a full symphony orchestra of more than a hundred musicians. It may also be completely raised to stage level for performances that require a larger playing area. The stage area is 16 x 16 metres and the stage floor itself consists of 16 separate podia that may be raised, lowered or tilted. This makes exciting changes and movements possible. Another important element is the revolving stage.

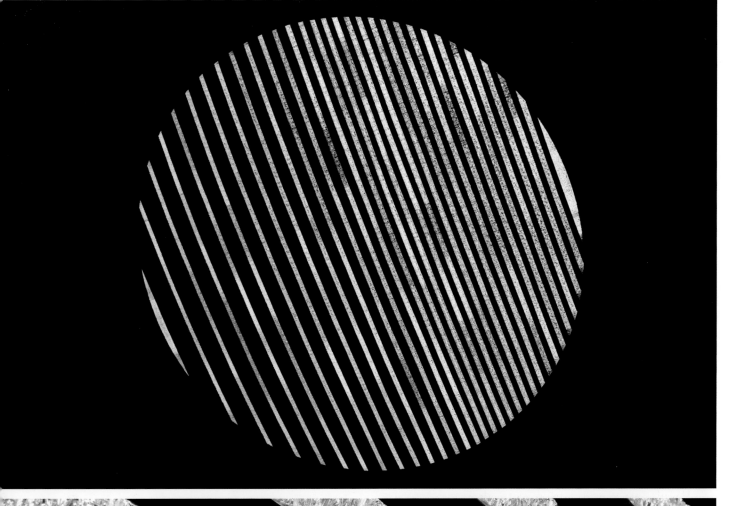

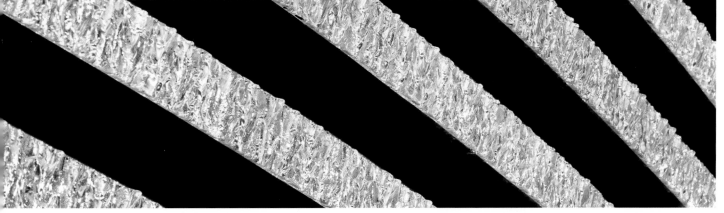

Tre auditorier, flere scener

Gjennom den nordlige delen av Bølgeveggen kommer publikum inn på Scene 2, som med 400 plasser er Operaens mellomstore scene. Scene 2 har et mer moderne uttrykk enn Hovedscenen, med rektangulær form og farger i rødt, svart og sølv. Salen brukes blant annet til mer eksperimentelle forestillinger, forestillinger for barn og konserter. Som på Hovedscenen har setene også her tekstdisplay montert i ryggen der man kan følge libret-toen – operateksten – på norsk eller engelsk.

Den største av Operaens prøvesaler ligger i husets publikumsareal, og brukes også til fore-stillinger under navnet Prøvesalen. Den er helt svart, og det som på teaterspråket heter en black box. Ved hjelp av et amfi som enkelt kan trekkes ut fra veggen, får Prøvesalen plass til 200 publikummere. I tillegg til de tre auditoriene brukes også foajeen og Operataket som konsert- og spillearenaer.

Three auditoria, numerous arenas

Through the northern part of the Wave Wall, the audience enters the Second House, which is the Opera House's middle auditorium, seating 400. The Second House has a more modern expression than the Main House, with a rectangular shape and colours in red, black and silver. The Second House is often used for more experimental productions, performances for children and concerts, among others. As in the Main House, every seat has a text display in the back of the seat in front, where you can follow the libretto in Norwegian or English.

One of the Opera House's rehearsal spaces is within the public area and can also be used for performances. It is named The Studio and functions as a black box theatre. With the aid of amphitheatre seating that can easily be lowered from the walls, the Studio can accommodate an audience of 200. In addition to the three auditoria, the foyer and the roof are also used for concerts.

Repertoaret

I Operaen spilles forestillinger så å si hver dag. Operarepertoaret strekker seg fra de tidligste barokkoperaer av Monteverdi og Händel via Mozart, Puccini, Wagner og Stravinsky, til samtidsverker av nåtidens komponister som Gisle Kverndokk og Synne Skouen. Nasjonalballetten har et bredt repertoar fra de store klassiske ballettene som *Svanesjøen*, *Tornerose* og *Nøtteknekkeren*, til moderne uttrykk av nyskapende koreografer fra vår tid, som Jo Strømgren, Alan Lucien Øyen, Jiří Kylián, Sol León og Paul Lightfoot. I tillegg kommer tallrike konserter av forskjellig format og sjangere, med framstående sangere og dirigenter både fra inn- og utland.

The repertoire

There are performances in one or more of the performance spaces practically every day. The opera repertoire ranges from the earliest baroque operas by Monteverdi and Händel via Mozart, Puccini, Wagner and Stravinsky to works by contemporary composers like Gisle Kverndokk and Synne Skouen. The National Ballet has a wide repertoire from classical ballets like Swan Lake, Sleeping Beauty *and* The Nutcracker *to the modern expressions of creative choreographers of our own time, such as Jo Strømgren, Alan Lucien Øyen, Jiří Kylián, Sol León and Paul Lightfoot. There are also countless concerts of differing formats and genres, with outstanding singers and conductors both Norwegian and international.*

Scenemagien
Et scenebilde fra operaen *Tannhäuser* på Hovedscenen, i regi av Stefan Herheim i 2010, viser noen av de scenografiske mulighetene på Hovedscenen. Det er her scenekunstens mål oppfylles: i møtet mellom utøver og publikum.

The magic of the stage
A set from the Main House production of Wagner's Tannhäuser, *directed by Stefan Herheim 2010, demonstrates some of the possibilities of the stage. This is where the true moment of theatre takes place: in the live encounter between artist and audience.*

FABRIKKEN
THE FACTORY

BAK SCENEN
BACKSTAGE

Fra nord til sør gjennom Operaen går en høy innebygget gang. Den kalles Operagata og skiller scener og publikumsområdene fra den østvendte produksjonsdelen av operahuset. Det er her, i den såkalte Fabrikken, scenekunsten tilvirkes. De fleste av operahusets rundt 1100 rom ligger her, blant annet en rekke prøvesaler, sang- og ballettstudioer, verksteder og kontorer. Med sine røffe, sterke materialer skiller Fabrikken seg arkitektonisk fra den marmor- og eikebekledde publikumsdelen. Her er det funksjonelt, praktisk og lyst. Utvendig er den kledd med aluminiums-platene med de metalliske mønstrene. Besøkende som vandrer rundt operahuset kan gjennom store vinduer se inn på aktiviteten på malersalen, systua og hatte- og maskeavdelingen. Dette var del av den arkitektoniske grunntanken: Også slik skal Operaen være åpen og tilgjengelig og publikum kunne få et innblikk i dens indre liv.

A high, inbuilt walkway runs through the Opera House from north to south. Named the Opera Street, it separates the performance spaces and the foyer from the so-called Factory - the production area on the eastern side. Here the onstage art is created. Most of the building's 1,100 rooms are here, including choral and ballet studios, workshops and offices. With its rough, strong materials, The Factory differs architecturally from the marble- and oak-clad public areas. Here everything is functional, practical and light. Its exterior is clad with the aluminium sheets with their metallic patterns. Visitors wandering around the outside can view the activities of scene painters, costume makers and wig and make-up artists, through large windows. This too was a deliberate idea on the part of the architects: to give the public a further sense of accessibility and a direct look-in on the inner life of the Opera House.

Arbeidsplassen

Den Norske Opera & Ballett er en stor arbeidsplass med mer enn 600 ansatte fordelt på omtrent 50 yrker. Her arbeider orkestermusikere, sangere og regissører side om side med snekkere, skomakere, regnskapsførere og sceneteknikere. De fordeler seg mellom Nasjonalballetten, Nasjonaloperaen, Operaorkestret, Operakoret, Barnekoret, verksteder, scene-seksjonen og administrasjonen.

Scenekunstnerne

Nasjonaloperaen er Norges eneste profesjonelle opera-ensemble med en gruppe faste solister og 4 praktikantplasser for unge sangere. Nasjonalballetten består av om lag 65 dansere, og har også et eget kompani for unge dansere fra 17 til 23 år. Operakoret består av over 50 profesjonelle sangere og Operaorkestret har rundt 100 musikere. Barne-koret og Ballettskolen er Operaens svært populære tilbud til barn og unge.

Men ikke alle står på scenen eller sitter i orkestergraven. Som et av verdens mest avanserte teaterhus, har Den Norske Opera & Ballett også en stor teknisk avdeling. Over 100 personer arbeider med sceneteknikk, lys, lyd og rekvisitter. I tillegg kommer administrasjonen som bidrar med støttefunksjoner til alle ansatte foran og bak scenen.

Hele dette store og enestående maskineriet løper til slutt sammen til et meningsfylt hele når kammertonen senker seg, teppet går opp, og publikum kan hengi seg til scenekunstens verden.

The workplace

The Norwegian National Opera & Ballet is a large workplace with over 600 employees working in about 50 professions and trades. Orchestral musicians, singers and conductors work side by side with carpenters, shoemakers, accountants and stage technicians. There are five companies: the National Ballet, the National Opera, the Opera Orchestra, the Opera Chorus, the Children's Chorus, and three main departments: the workshops, the stage section and administration.

The stage artists

The Norwegian National Opera is Norway's only professional opera ensemble, with a group of soloists in permanent positions and 4 apprenticeships for young singers. The Norwegian National Ballet consists of about 65 dancers, and also has its own company for young dancers between the age of 17 and 23. The Opera Chorus on the other hand comprises about 50 professional singers and the Opera Orchestra has around 100 musicians. The Children's Chorus and the Ballet School are popular among children and young people.

But there are many more people working off stage than on. As one of the most sophisticated theatres in the world, the Norwegian National Opera & Ballet also has a large technical department. More than a hundred highly skilled people are required to put the technical facilities to full use, including lights, sound and props. Then there is administrative staff, which provides support functions for both artists and production units.

This whole, vast machinery finally finds its conclusion as a hush falls over the auditorium, the curtain rises and the audience can give themselves over to the magic of the theatre.

ERIK BERG

DEN NORSKE OPERA & BALLETT © 2010

Ansvarlig utgiver Den Norske Opera & Ballett AS

Redaksjon Markeds- og kommunikasjonsavdelingen

ISBN 978-82-998430-0-3

Design og layout Siste Skrik Kommunikasjon

Trykk 07 Gruppen AS

Opplag 2000 – 4. utgave (2018)

Den Norske Opera & Ballett AS

Kirsten Flagstads plass 1

0150 Oslo

operaen.no

THE NORWEGIAN NATIONAL OPERA & BALLET © 2010

Publisher The Norwegian National Opera & Ballet

Editorial staff The Department of Marketing and Communication

ISBN 978-82-998430-0-3

Design and layout Siste Skrik Kommunikasjon

Print 07 Gruppen AS

Circulation 2,000 – 4th edition (2018)

The Norwegian National Opera & Ballet

Kirsten Flagstads plass 1

N-0150 Oslo

operaen.no

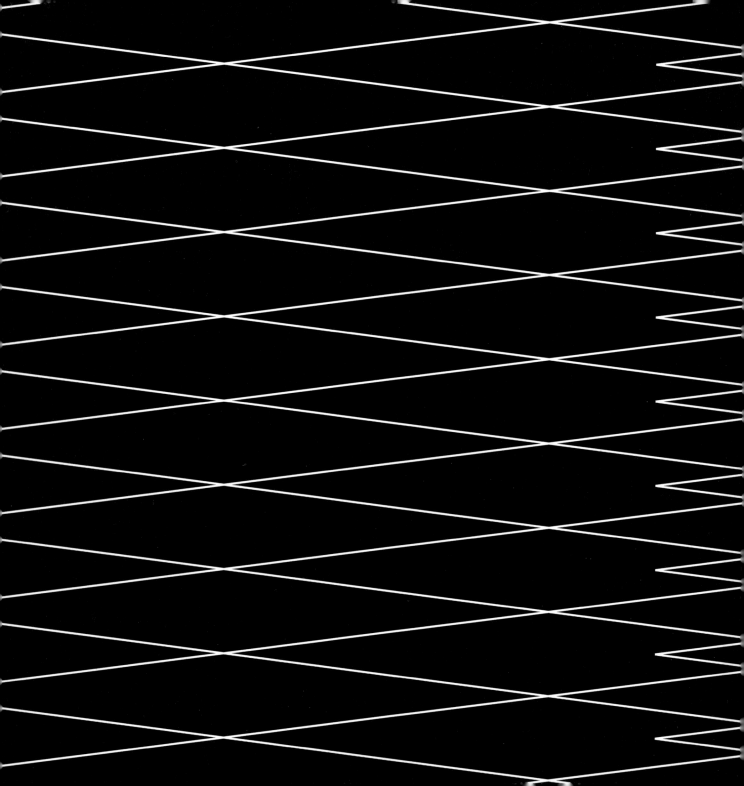